les plus belles histoires du

PÈRE CASTOR

1

*Vous pouvez retrouver
chacune des histoires de ce recueil
dans les collections du Père Castor.*

les plus belles histoires du PÈRE CASTOR ①

Père Castor • Flammarion

Table des histoires

Michka

Michka s'en allait
dans la neige
en tapant des talons.
Il était parti de chez lui
ce matin-là,
comme le jour commençait
de blanchir la fenêtre ;
de chez lui, c'est-à-dire
de la maison d'Élisabeth, sa jeune maîtresse,
qui était une petite fille impérieuse et maussade.

Lui, c'était un petit ours. En peluche.
Avec le dessous des pattes en velours rose,
deux boutons de bottine à la place des yeux,
trois points de laine à la place du nez.

En se réveillant, il s'était senti tout triste et dégoûté.
Élisabeth n'était pas gentille ; il lui fallait
vingt-cinq joujoux à la fois pour l'amuser et,
quand on avait cessé de lui plaire, il n'était pas rare
qu'elle vous secouât et vous jetât
d'un bout à l'autre de la pièce ;
tant pis s'il lui restait une de vos pattes dans la main.

– J'en ai assez d'être un jouet ici, grognait Michka
en se frottant les yeux de ses poings.
Je suis un ours, après tout !
Je veux aller me promener tout seul
et faire un peu ce qui me plaît, sans obéir
aux caprices d'une méchante petite fille.

Et, bien que la chambre fût tiède et — tant qu'Élisabeth,
dormait — plaisante, Michka s'était sauvé en passant
par la chatière. Maintenant, il s'en allait dans la neige...
Il levait haut les pattes, l'une après l'autre,
et, chaque fois qu'il en posait une,
cela faisait dans la neige un petit trou rond.

Or, depuis bien cinq minutes, un roitelet le suivait.
Ces roitelets, c'est farceur ; ça a la queue retroussée
et ça sautille par-ci, par-là, on dirait toujours
qu'ils se moquent de vous. Celui-là faisait «Piou ! Piou !...»
dans le dos de Michka et, quand Michka se retournait,
vite il se laissait tomber dans un des petits trous ronds
que les pattes de Michka avaient faits dans la neige.
— Hm ! disait Michka, j'avais bien cru
pourtant entendre...

Et dans son trou,
le roitelet mourait de rire.
Mais tout de même, à la fin,
du coin de l'œil, Michka l'aperçut.
— Brrr ! lui fit-il au nez
en se retournant d'un seul coup.
Pauvre roitelet ! Il eut si peur
qu'en volant il emmêlait ses ailes
et que ce fut miracle s'il ne tomba pas.
Il se blottit sous un buisson
et se tint désormais tranquille.

Brrrr....r.
Brrr......
Brrrr.....

– Tradéridéra, tralala ! chantait Michka en continuant
sa route, c'est très amusant d'être un petit ours
qui se promène dans la campagne.
Je ne veux plus jamais être un jouet !

Après ça, au pied d'un arbre
où la neige avait fondu,
il trouva un pot de miel ;
une paysanne l'avait perdu
sans doute au retour du marché.
Mais le pot de miel était fermé
et Michka ne savait pas dévisser le couvercle.
Après avoir essayé de toutes les manières, il devint furieux.
    – Tiens, grande bête de pot, dit-il en lui lançant
        un coup de pied, va-t'en où il te plaît !

                Et le pot se mit à rouler et, roulant,
                    il buta contre une pierre,
                s'ouvrit en deux : voilà le miel !

                – Mm ! Mm ! faisait Michka
            en se régalant, que la vie est belle
                dans les bois ! Jamais plus
                je ne serai un jouet, ça, non !

            Naturellement, quand il eut
        bien déjeuné, qu'il se fut bien frotté
                son petit ventre rond,
            il eut envie d'aller faire la sieste
            en haut de l'arbre. Il grimpa donc
                et s'installa dans les branches
                    et dormit un bon coup.

Quand il se réveilla,
c'était presque le soir...
Deux oies sauvages s'étaient posées
à la cime de l'arbre pour se dégourdir
les pattes et on les entendait causer.
– Can, can ! c'est le soir de Noël ! disait l'une.
– Can, can ! disait l'autre. C'est ce soir
que chacun doit faire une bonne action,
c'est ce soir que chacun doit aider son semblable,
secourir les malheureux, réparer les injustices...

«Tiens... Tiens... se disait Michka, je ne savais pas ça...»

Et puis elles s'envolèrent au fond du grand ciel gris.
Et Michka descendit de son arbre et repartit dans la neige,
cherchant une bonne action à faire...
Mais on eût dit que la terre où il était arrivé maintenant
était toute déserte. Pas une maison, pas un animal,
rien que la neige et les grands bois.

Soudain, voici qu'il entendit des grelots.
C'était un traîneau, tiré par un renne.
Le renne était blanc, son harnais était rouge
et parsemé de clochettes, et tout ça était très joli ; et aussi,
dans ses beaux yeux longs, le renne avait une lumière
comme on n'en voit pas sur cette terre, assurément.
Sur le traîneau, il y avait un grand sac,
tout gonflé, tout bossu.

C'était le Renne de Noël qui faisait sa distribution,
comme c'est l'usage dans les pays du Nord,
où il y a bien trop de neige
pour qu'un Bonhomme Noël puisse cheminer à pied.
– Grimpe vite, dit le Renne à Michka, tu m'aideras...

Oh ! ça, c'était amusant ! Le traîneau volait sur la neige.
La nuit était venue, mais il y avait tant d'étoiles au ciel
qu'on y voyait comme en plein jour.

À chaque village, à chaque maison, le Renne s'arrêtait
et Michka, entrant à pas de loup, mettait dans la cheminée
un chemin de fer, un pantin, une trompette,
tout ce qui lui tombait sous la main
en fouillant dans le grand sac.

Michka s'amusait comme un fou ; s'il était resté,
sage petit joujou, dans la maison d'Élisabeth,
aurait-il jamais connu une nuit pareille ?
De temps en temps, cependant, il pensait :
«Et ma bonne action, dans tout ça ?»

Alors, on arriva à la dernière maison ;
c'était une cabane misérable, à la lisière d'un bois.
Michka fourra la main dans le grand sac, tourna, fouilla
il n'y avait plus rien !
– Renne, ô Renne ! Il n'y a plus rien dans ton sac !
– Oh ! gémit le Renne.

Dans cette cabane, il y avait un petit garçon malade ;
demain matin, en s'éveillant,
verrait-il ses bottes vides devant la cheminée ?
Le Renne regardait Michka de ses beaux yeux profonds.
Alors Michka fit un soupir, embrassa d'un coup d'œil
la campagne où il faisait si bon se promener tout seul
et, haussant les épaules, levant bien haut ses pattes,
une, deux, une, deux, pour faire
sa bonne action de Noël,
entra dans la cabane,
s'assit dans une des bottes,
attendit le matin...

Roule Galette

Dans une petite maison, tout près de la forêt,
vivaient un vieux et une vieille.

Un jour le vieux dit à la vieille :
– J'aimerais bien manger une galette…
– Je pourrais t'en faire une, répondit la vieille,
si seulement j'avais de la farine.
– On va bien en trouver un peu, dit le vieux.
Monte au grenier, balaie le plancher,
tu trouveras sûrement des grains de blé.
– C'est une idée, dit la vieille,
qui monte au grenier,
balaie le plancher
et ramasse
les grains de blé.

Avec les grains de blé
elle fait de la farine ;
avec la farine elle fait une galette
et puis elle met la galette à cuire au four.

Et voilà la galette cuite.
– Elle est trop chaude ! crie le vieux.
Il faut la mettre à refroidir !

Et la vieille pose la galette sur la fenêtre.

Au bout d'un moment, la galette commence à s'ennuyer.
Tout doucement, elle se laisse glisser du rebord de la fenêtre,
tombe dans le jardin et continue son chemin.

Elle roule, elle roule toujours plus loin…

… et voilà qu'elle rencontre un lapin.
– Galette, Galette, je vais te manger, crie le lapin.
– Non, dit la galette, écoute plutôt ma petite chanson.

Et le lapin dresse ses longues oreilles.

Je suis la galette, la galette,
Je suis faite avec le blé ramassé dans le grenier.
On m'a mise à refroidir,
Mais j'ai mieux aimé courir !
Attrape-moi si tu peux !

Et elle se sauve si vite, si vite qu'elle disparaît dans la forêt.
Elle roule, elle roule dans le sentier…

… et voilà qu'elle rencontre le loup gris.
– Galette, Galette, je vais te manger, dit le loup.
– Non, non, dit la galette ;
écoute plutôt ma petite chanson.

Je suis la galette, la galette,
Je suis faite avec le blé ramassé dans le grenier.
On m'a mise à refroidir,
Mais j'ai mieux aimé courir !
Attrape-moi si tu peux !

Et elle se sauve si vite, si vite
que le loup ne peut la rattraper.

Elle court, elle court dans la forêt…

… et voilà qu'elle rencontre un gros ours.
– Galette, Galette, je vais te manger,
grogne l'ours de sa grosse voix.
– Non, non, dit la galette ; écoute plutôt ma chanson !

Je suis la galette, la galette,
Je suis faite avec le blé ramassé dans le grenier.
On m'a mise à refroidir,
Mais j'ai mieux aimé courir !
Attrape-moi si tu peux !

Et elle se sauve si vite, si vite que l'ours ne peut la retenir.
Elle roule, elle roule encore plus loin…

… et voilà qu'elle rencontre le renard.
– Bonjour, Galette, dit le malin renard.
Comme tu es ronde, comme tu es blonde !

La galette, toute fière, chante sa petite chanson…
et pendant ce temps, le renard se rapproche, se rapproche,
et quand il est tout près, tout près, il demande :
– Qu'est-ce que tu chantes, Galette ?
Je suis vieux, je suis sourd, je voudrais bien entendre.
Qu'est-ce que tu chantes ?

Pour mieux se faire entendre, la galette saute
sur le nez du renard, et, de sa petite voix, elle commence :

Je suis la galette, la galette,
Je suis faite avec le…

Mais, HAM !… le renard l'avait mangée !

Deux petits cochons trop cochons

C'est l'histoire de deux petits cochons
qui sont vraiment très très cochons,
surtout lorsqu'ils mangent !
Et bien entendu, ça énerve leur maman !
Elle leur dit :
– Nanie et Nono,
voulez-vous manger proprement !
Non mais, regardez-moi ça un peu,
ces gros dégoûtants...

Mais Nanie et Nono ne l'écoutent pas.
À chaque repas, il y en a un des deux
qui renverse son verre d'eau : ça fait un petit ruisseau !
Alors l'autre met au milieu
des morceaux de pain : ça fait des îlots...
Et puis ils ont inventé un jeu,
c'est de se déguiser avec ce qu'ils mangent.

Par exemple,
quand il y a de la purée,
ils s'en étalent plein la figure
pour faire un maquillage rigolo.
Avec un peu de sauce tomate
sur le bout du nez, les voilà
transformés en clowns.
Et quand ils s'ajoutent
des spaghettis sur la tête
pour avoir des longs cheveux
alors là, ils se trouvent
carrément beaux !

Il n'y en a qu'une qui ne rit pas,
vous vous en doutez, c'est leur maman !
À chaque repas, elle leur répète :
– Vous vous croyez beaux tous les deux ?
Eh bien, vous vous trompez : vous êtes affreux !
Et même tellement affreux, que, j'en suis sûre,
si le loup vous rencontrait il aurait peur de vous !

Mais les deux petits cochons
trouvent ça très bien que le loup
puisse avoir peur d'eux.
Ainsi, ils n'ont pas besoin
de se méfier. Et du coup,
lorsqu'ils partent
se promener dans la forêt,
Nanie et Nono
ne se méfient pas du tout.
Très souvent,
ils s'enfoncent loin,
loin dans les grands bois, persuadés
que le loup se sauvera en les voyant.
Alors, ce qui devait arriver, arrive :
le loup les capture !

Sans bruit, il se place derrière eux,
attrape Nanie par l'oreille, Nono par la queue,
et les enfourne tous les deux dans son grand sac noir.
Puis, tranquillement, il s'en retourne chez lui.
Tout au fond du sac, Nanie et Nono sont trimbalés,
bousculés, ballottés, secoués et ça leur fait mal
de tous les côtés. Mais ils se disent
qu'après tout,
ça n'est pas si grave :
bientôt ils vont
trouver le moyen
de faire tellement
les dégoûtants
que le loup,
horrifié, se sauvera
à toute allure.

À présent, le loup arrive chez lui, il les sort du sac,
les tourne, les retourne, puis il les regarde,
et prend un air satisfait :
— Mes merveilleux petits amis, vous êtes gras et dodus
à souhait et je sens que je vais me régaler...
Cependant pour que les petits cochons soient
vraiment délicieux, tous les livres de cuisine
recommandent de bien leur remplir l'estomac
avant de les faire cuire.
Aussi, il faut que vous mangiez : asseyez-vous là.

Et le loup les installe chacun sur une chaise,
une grande serviette autour du cou.
Puis il amène plein de bonnes choses sur la table.
Nanie et Nono sont enchantés : à présent,
ils sont sûrs de pouvoir faire peur au loup...

Et les voilà qui commencent à manger
encore plus salement que d'habitude :
ils se barbouillent de purée et de sauce tomate,
se font une perruque de spaghettis,
s'ajoutent des petits pois dans les oreilles,
et même quelques grains de sel sur le bout de la queue.
Puis ils regardent le loup en lui faisant :
« Hou » et une énorme grimace.

Mais le loup n'a pas du tout l'air effrayé,
et au lieu de se sauver à toute allure,
il les regarde en rigolant...

Alors Nanie et Nono pensent que
sans doute ils n'ont pas été
assez dégoûtants ! Aussitôt,
ils se mettent à boire leur soupe
comme les chiens et les chats :
en faisant plein de bruit
et en plongeant la tête dedans
si bien qu'il n'y a plus
que leurs oreilles qui dépassent.

Si leur maman les voyait,
elle serait certainement
horrifiée.

Mais leur maman n'est pas là.
Ils sont seuls avec le loup
et celui-ci n'a pas l'air
du tout horrifié.
Bien au contraire,
il les regarde, les yeux brillants
de gourmandise.

Et tout à coup, il découvre
ses longues dents blanches... et parle :
– Très bien, très bien, mangez, mes beaux.
Vous serez meilleurs pour moi... Je sens
que le moment approche où je vais pouvoir vous déguster.

Alors Nanie et Nono commencent à se rendre compte que,
non vraiment, deux tout petits cochons, même très cochons,
ça ne fait pas peur à un gros loup.
Du coup, ils se disent qu'ils doivent trouver
un autre moyen de se sauver...

À ce moment, le loup se tourne vers eux d'un air décidé :
– Bon, assez rigolé, passons aux choses sérieuses.

Et le voilà qui soulève
le couvercle de sa grande marmite noire...
– L'eau de ma marmite est en train de bouillir...
Il est temps que je vous plonge dedans.

Aussitôt, les deux petits cochons attrapent
chacun une des pattes du loup
et le renversent
dans la marmite.

Puis, Nanie remet le couvercle
tandis que Nono ouvre la porte…

… et tous les deux prennent
leurs pattes à leur cou
pour revenir chez eux,
le plus vite possible.

Et depuis ce jour-là,
bizarrement,
Nanie et Nono
ont été des cochons
vraiment
très très propres.

Car, voyez-vous,
manger salement,
c'est bien,
mais si ça n'amuse pas
leur maman,
et si ça ne fait
même pas peur au loup,
alors,
ça n'est peut-être pas
si intéressant…

Le mouchoir de Benjamin

Benjamin habitait avec maman et papa lapin,
monsieur et madame Radirose.
Du fond du terrier, on entendait souvent
Benjamin appeler :
– Maman, où es-tu ?
– Je suis là, mon petit lapin,
dans la cuisine, je prépare le repas.

– Maman, où es-tu ?
– Je suis là,
mon petit lapin,
dans la chambre,
je secoue
la couette de ton lit.

– Maman, où es-tu ?
– Dans la salle à manger, mon petit lapin,
je mets le couvert pour l'arrivée de papa.

Benjamin trottinait derrière maman
et ne la quittait pas d'une longueur de patte.

Cependant Benjamin allait à l'école des bêtes du village
et se rendait parfois chez ses petits amis pour jouer.

Hors du terrier familial
et loin de sa maman, Benjamin
ne se sentait pas toujours rassuré.
Le monde est si vaste et peuplé
de créatures si diverses !

Aussi, Benjamin avait-il
un remède miracle, une recette à lui,
pour se rassurer.

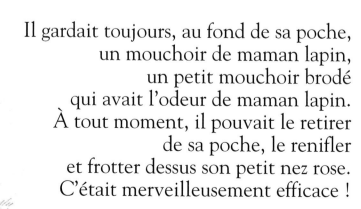

Il gardait toujours, au fond de sa poche,
un mouchoir de maman lapin,
un petit mouchoir brodé
qui avait l'odeur de maman lapin.
À tout moment, il pouvait le retirer
de sa poche, le renifler
et frotter dessus son petit nez rose.
C'était merveilleusement efficace !

C'était très efficace aussi pour s'endormir le soir.
À tel point que Benjamin n'envisageait même pas
de s'en passer.

Il advint qu'un jour,
monsieur et madame Radirose
furent invités à un grand bal.
Tous deux adoraient la danse,
aussi décidèrent-ils de s'y rendre.

Pour cette occasion,
madame Radirose avait mis sa plus belle robe :
une robe en velours frisson, vert pistache,
avec laquelle, pour sûr, elle ne passerait pas inaperçue.
Tout emperlée de colliers et de bracelets,
parfumée et poudrée, maman lapin était superbe.

Monsieur Radirose avait mis sa chemise à petits pois
et sa jaquette de cérémonie en peau de taupe.
Benjamin eut la bonne idée
de lui glisser un œillet rose à la boutonnière.

Benjamin était très fier de ses parents.

Juste avant leur départ, grand-mère lapin arriva,
tout essoufflée, pour garder Benjamin.
Elle les complimenta et leur dit que cela lui rappelait
le temps où elle allait danser.

Après l'affairement des préparatifs,
Benjamin se retrouva seul avec grand-mère lapin.
Il aimait bien sa grand-mère lapin,
pourtant le terrier lui parut vide et dépeuplé.
Il plongea la patte dans sa poche.
Catastrophe ! Le petit mouchoir n'y était pas.

– Grand-mère lapin,
il faut chercher
mon petit mouchoir.

On fouilla le terrier
de fond en comble.
Pas de petit mouchoir !

Par contre, on retrouva...
Sous le fourneau,
les petits ciseaux à broder
de maman lapin.
Son livre de recettes
derrière le vaisselier.
La pipe de papa lapin sous le lit.

Grand-mère lapin proposa
un autre petit mouchoir,
bien propre et bien repassé,
qu'elle tira de l'armoire.
Mais Benjamin était formel.
Ce n'était pas
le petit mouchoir magique
qui avait l'odeur
de maman lapin.

Ils cherchèrent sur le pré, devant le terrier.
Pas de petit mouchoir !

Il était peut-être chez la chatte madame Mistoufflette ?
Benjamin avait joué l'après-midi avec le petit Mistouflet.
On fouilla partout chez les Mistouflet...
Pas de petit mouchoir !
Par contre on retrouva l'écharpe de Benjamin.

Puis ils allèrent à la maison des écureuils.
Benjamin avait joué avec la petite Amandine,
la dernière-née de la famille.
On retourna toute la maison.
On alla voir sous l'arbre
qui servait de balançoire...
Pas de petit mouchoir !
Mais on retrouva
une moufle de Benjamin.

Ils allèrent ensuite chez
monsieur et madame Tirbouchonet.
Ils avaient trois petits cochons
très polissons qui auraient pu
s'emparer du petit mouchoir
pour faire une farce
à Benjamin.
On regarda jusque
dans les recoins les plus sombres de la maison...
Pas de petit mouchoir !
Mais on retrouva le bonnet de Benjamin.

Très déconfits, grand-mère et Benjamin
rentrèrent à la maison.

– Que de choses retrouvées,
dit grand-mère lapin,
en posant sur la table,
l'écharpe, la moufle et le bonnet.
Et maintenant, il est l'heure d'aller au lit.
– Je ne peux pas m'endormir
sans mon petit mouchoir, dit Benjamin.

Au fond de son lit, Benjamin cherchait le sommeil
quand il aperçut sur le plancher de la chambre...
une petite souris qui portait
sur son dos quelque chose
de blanc roulé en boule.

– J'ai trouvé
un joli mouchoir brodé
qui a l'odeur de madame Radirose.
Il était juste devant mon terrier, à l'entrée de votre cave.
Je vais bientôt avoir des petits. Ce mouchoir aurait fait
un superbe drap de berceau pour mes souriceaux, mais
je suis une honnête souris et je viens vous le rapporter.

– Merci beaucoup, madame Souris,
dirent en chœur Benjamin et grand-mère,
nous sommes heureux de faire votre connaissance.

Grand-mère ajouta :
– Je vais choisir un autre petit drap tout propre
pour vos souriceaux, et je leur tricoterai
des brassières en poil de lapin.

Grand-mère alla chercher
dans l'armoire
un autre petit mouchoir
qui sentait la lavande
et l'offrit à madame Souris.
Benjamin proposa de garder
les souriceaux lorsque
madame Souris irait au bal.

Benjamin s'endormit très vite
avec son petit mouchoir retrouvé.
Il fit un rêve merveilleux, musical et coloré.
Il était, lui aussi, invité au bal
et dansait la polka avec maman lapin.
Elle était si belle que tout le monde l'admirait.
Papa faisait danser grand-mère lapin. Elle était ravie
parce que cela lui rappelait le bon vieux temps !
Madame Souris venait présenter ses souriceaux aux invités.
Elle en était très fière : il y en avait au moins douze !
La salle de bal était décorée de petits mouchoirs,
de guirlandes de petits mouchoirs.
Il y en avait... il y en avait...

Son mouchoir bien serré
dans sa patte, Benjamin
sourit en dormant...

La famille Rataton

C'est la famille Rataton : il y a monsieur Rataton,
il y a madame Rataton, il y a les trois enfants Rataton.
Monsieur Rataton est en train de boire
du café au lait bien sucré.
Madame Rataton range ses provisions dans l'armoire.
– Tu devrais aller me chercher quelques graines
pour le dessert, dit-elle à monsieur Rataton.
– Bon, dit monsieur Rataton, j'y vais.
Au revoir les enfants, au revoir Doucette.

Il prend deux petits paniers.
Il embrasse tendrement madame Rataton.
Et floup ! il court dans la campagne.
Pendant ce temps-là, madame Rataton balaie
les longs couloirs de sa maison, creusée dans la terre.

Et quand elle a fini son ménage,
elle va promener ses enfants :
– Allons, marchez devant, dit
madame Rataton, ne vous éloignez pas
et ne vous faites pas remarquer
en poussant des cris.
– Oui, maman ! non, maman !

De son côté, monsieur Rataton a ramassé
de bonnes petites graines. Il rentre tout content.
Mais le zèbre et la girafe
se moquent de lui.
Tous les matins, c'est comme ça.
– Qu'il est petit, qu'il est petit !
si encore il était rayé !
dit le zèbre.

– Ou s'il avait un long cou ! dit la girafe.

Monsieur Rataton
est triste, avec
ses petits paniers. Il se dit :
« Comme il fait bon être chez soi,
sans ces grosses bêtes
qui se moquent de vous. »

En revenant de promenade
avec ses enfants, madame Rataton rencontre le singe.
Il rit en les voyant passer.
– Hi, hi ! ha, ha ! qu'ils sont petits, que c'est drôle !
hi, hi ! ha, ha !
– Tenez-vous bien, mes enfants, dit madame Rataton,
ne vous retournez pas.

Et elle pense :
« Si nous sommes petits, lui, il est bien laid. »

Les Rataton se retrouvent tous chez eux.
– C'est tout de même malheureux d'être si petits,
dit monsieur Rataton.
– Nous sommes très bien ainsi, et nous sommes
beaucoup plus gros que les fourmis, dit madame Rataton.
– Ça c'est bien vrai, dit monsieur Rataton.
– Tu sais, tu devrais creuser un couloir pour faire
une autre sortie. Comme cela,
nous ne serions pas obligés
de passer devant le zèbre, la girafe
et le singe, dit madame Rataton.

– C'est une bonne idée, dit monsieur Rataton.

Il va chercher une pelle, une pioche,
et il creuse la nouvelle galerie.
Les petits Rataton dansent et chantent :
– On va avoir un nouveau couloir ! tralala !
une nouvelle sortie ! tralala ! tralali !

Monsieur Rataton pioche et creuse longtemps.
Il a bien chaud ! Ouf ! Il se repose un moment...
Les enfants sont curieux de savoir
où va déboucher la nouvelle sortie.

Enfin, ça y est !
Le couloir est percé.
Les Rataton mettent
leur museau dehors,
leurs moustaches
tremblent de plaisir.

Mais en levant la tête,
monsieur Rataton voit
un LION !
Un vrai lion avec une crinière
et d'énormes pattes.
Monsieur Rataton tombe à genoux.
– Ne me mangez pas, monsieur le Lion !
Madame Rataton serait bien ennuyée
et mes enfants lui donneraient trop de soucis sans moi.

Ce lion-là est un brave lion, ça tombe bien.
– N'ayez pas peur, dit-il,
même si j'avais faim, je ne vous mangerais pas.
– Oh ! merci, monsieur le Lion ! Merci !
Si vous avez besoin de moi, ne vous gênez pas,
venez me chercher. J'habite là. Vous voyez,
nous sommes voisins : demandez monsieur Rataton.
– Entendu, dit le lion.
Il est très amusé et il se demande comment
un si petit animal pourrait lui rendre service !
– Au revoir, monsieur le Lion. Mes enfants,
dites bien au revoir à monsieur le Lion.

Madame Rataton commence à être inquiète.
Elle va voir ce qui se passe.
– Regarde le lion qui s'en va, dit monsieur Rataton,
c'est mon ami, il ne nous a pas fait de mal ! Un lion
très poli et qui sait parler aux bêtes plus petites que lui.
– C'est un brave lion, dit madame Rataton.
Mais il faut aller à table maintenant.
Lavez-vous bien les mains, mes enfants.

Et toute la famille : Papa, Maman,
les trois petits Rataton dînent et vont se coucher.

Dans la nuit, monsieur Rataton est réveillé
par un long rugissement : « Rrôâô... Rrôâô ».
« C'est le lion, se dit monsieur Rataton.
Il doit avoir besoin de moi.
Vite, mon pantalon, mon cache-nez ! »
Monsieur Rataton court, court.
« Rrôâô... Rrôâô... Rrôâô... »

Le lion s'est pris dans un piège.
Il est emprisonné dans les mailles d'un grand filet.
Plus il se débat, plus les cordes le serrent.
Il a l'air très malheureux.
– Monsieur le Lion, c'est moi... monsieur Rataton,
vous savez, votre voisin, ne bougez pas,
attendez un moment : je vais vous délivrer.

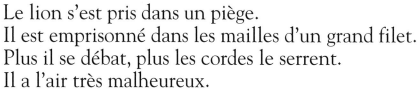

Monsieur Rataton court chez lui.
Il réveille madame Rataton,
il réveille ses enfants.
Puis il prend deux bonnes scies.
Madame Rataton
emporte des provisions.
Les enfants Rataton
trouvent cela très drôle.
Ce n'est pas souvent
que l'on sort en pleine nuit.

À l'ouvrage !
Monsieur et madame Rataton scient les cordes brin à brin.
Les enfants grimpent et jouent dans le filet.
Le lion essaie de remuer, il souffle très fort.
– Nous allons y arriver, monsieur le Lion, patience.
Ne vous énervez pas.
– Si vous le permettez, monsieur le Lion,
dit madame Rataton, nous allons nous arrêter un moment.
Il faut manger et boire un peu,
nous travaillerons mieux ensuite.

On mange, on boit
et on se remet au travail.
Les scies vont plus vite.
Les mailles craquent
une à une.
Les cordes ne tiennent
presque plus.

Le lion se soulève...
et craaac...
tout le filet se déchire :
le lion est libre,
le lion gambade,
les Rataton dansent
de joie.

– Merci, merci, chers amis.
– Ça n'est rien, monsieur le Lion,
tout à votre service, au revoir.
– Mais non, mais non, dit le lion, je ne peux pas
vous quitter comme ça. Regardez, le jour se lève.
Montez sur mon dos, nous allons faire une promenade.
Les petits Rataton montent les premiers.
– Tenez-vous bien à ma crinière, les enfants, dit le lion.

Puis c'est au tour de monsieur Rataton.
Madame Rataton monte la dernière
et s'assied à côté de monsieur Rataton.
– En route, dit le lion.

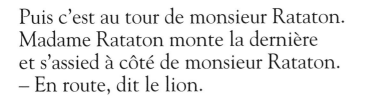

Les Rataton, tout fiers, passent devant
le zèbre, la girafe et le singe.
– Ce n'est pas le moment de se moquer
des Rataton, chuchote le zèbre à la girafe.

Le singe n'est pas tranquille.
Le lion a l'air de lui dire : « Ce sont mes amis maintenant.
Je te conseille de ne jamais te moquer d'eux. »

C'est une belle promenade
que font les Rataton sur le dos de leur ami.
Ils s'en souviendront longtemps.

Les piquants de Goz

Au matin d'une belle journée,
il y a 150 millions d'années,
naquit un bébé stégosaure.
Il était minuscule
et ne pesait guère plus de 50 kilos.
Il ressemblait à ses parents.
Il avait les yeux roses de sa maman,
et une belle peau verte comme son papa,
mais son dos était lisse, étrangement lisse…
On l'appela Goz.

Il grandit rapidement, mais
une question tourmentait ses parents :
– C'est incroyable, pourquoi
notre bébé n'a-t-il pas de piquants ?

À quinze ans, Goz commença à marcher.
À dix-huit ans, il apprit à courir.
À vingt ans, il balbutia quelques mots.
Il était très précoce,
mais rien ne poussait sur son dos !

Son père, Steg, et sa mère, Aure,
étaient de plus en plus inquiets.
Ils décidèrent d'aller demander
conseil au grand iguanodon
qui habitait fort loin,
au pays des lacs.

Steg, Goz et Aure entreprirent donc ce long voyage
à travers les immenses forêts du Jurassique.

Un matin, ils croisèrent la route d'un grand allosaure.
« Quel adorable petit enfant, gronda celui-ci,
et quel dos bien lisse, bien tendre,
sans rien qui puisse vous abîmer les dents !
S'il n'était pas accompagné de ses parents,
je n'en ferais qu'une bouchée… »
Maman Aure n'aima pas du tout le regard du géant.
Elle décida que Goz voyagerait entre ses pattes,
afin de ne pas éveiller l'appétit féroce des allosaures
et autres mégalosaures de la région.

Trois mois plus tard, ils arrivèrent devant un océan.
Un plésiosaure les aida à traverser,
et à reprendre pied
sur l'autre continent.

Papa Steg le remercia.
– Il n'y a pas de quoi, répondit le reptile marin,
mais pour le dos de votre bébé, vous devriez essayer
la bouillie de cactus, c'est radical.

Le soir, le petit stégosaure se régala
de 50 kilos de cactus pilés,
préparés par Maman Aure.
Il aimait ce goût amer,
et les épines
lui chatouillaient
la gorge.
Mais rien ne poussa
sur son dos,
pas le moindre
petit piquant !

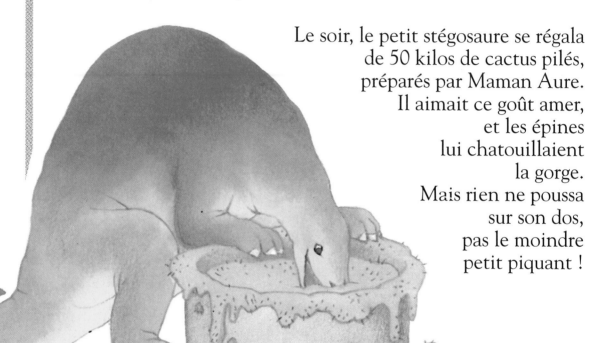

Un jour qu'ils longeaient un plateau désertique,
un cétiosaure les rattrapa.
– Vous partez en vacances ? leur demanda-t-il.
Moi, je vais chez mon cousin, dans le Nord,
il fait trop chaud par ici.
– Euh, non, répondit Papa Steg,
nous allons voir l'iguanodon pour notre fils.
– Il est malade ?
– Il n'a pas de piquants.

Le cétiosaure éclata de rire :
– Et alors ? Moi non plus, je n'ai pas de piquants !
Cela me permet d'ailleurs de faire de jolies galipettes.
– Mais nos piquants nous protègent, expliqua Maman Aure.
– Bien sûr, bien sûr, mais ne vous faites pas trop de soucis.
Moi, par exemple, je suis le plus petit de la famille,
avec mes dix-huit mètres seulement,
alors que mon cousin diplodocus mesure trois autobus…
Je n'en fais pas une maladie…

Et il s'éloigna en laissant dans le sable
l'empreinte de ses énormes pieds.
En trois enjambées, il avait disparu
derrière une montagne, réveillant
toute une colonie de ptérosaures
qui s'envolèrent en criant.

Les trois stégosaures continuaient leur chemin,
engloutissant d'énormes quantités d'herbes et de feuillages.

Un soir, ils durent laisser le passage
à un troupeau de tricératops qui traversaient une vallée.
Une maman tricératops les aperçut et les salua :
– Vous vous plairez ici, la nourriture est abondante,
les feuilles sont très dures et ces plantes violettes,
croquantes comme des cailloux, sont délicieuses.
Oh ! mais votre bébé n'est pas très développé !
– C'est qu'il n'a pas de piquants, admit Steg.
– Les piquants ne sont pas indispensables, mais
il lui manque des cornes, voilà qui est plus ennuyeux !

Et elle s'éloigna
en ruminant.

Le ciel se couvrit,
et c'est sous un violent orage
qui dura quinze jours que les trois stégosaures
arrivèrent enfin au pays des lacs.
Un couple de dimorphodons les conduisit
auprès du grand iguanodon
qui broutait les feuilles d'un ginkgo.
Il leur demanda ce qu'ils désiraient.

Maman Aure parla de son fils et des piquants manquants.
– Examinons d'abord ce bambin, décida l'iguanodon.
Combien pèse-t-il ?
– 812 kilos, répondit Goz.
– Il a bonne mine, de bonnes joues bien vertes…
Que prend-il au petit déjeuner ?

– Le matin, il n'a pas beaucoup d'appétit,
dit Maman Aure, il mange 90 kilos de tartines aux fougères
trempées dans une bouillie de racines.
Mais, à midi, il broute deux hectares de prairie et,
le soir, comme dessert, je lui prépare 100 litres de potage
aux pointes de prêles géantes, c'est bourré de vitamines.
– Bien, bien… Et c'est ce retard de piquants
qui vous inquiète ?
– Il est en avance pour tout le reste, ajouta Papa Steg.
Il a eu sa première dent à douze ans,
et il a parlé de bonne heure, à vingt et un ans.
– Et quel âge a-t-il maintenant ?
– Quarante-neuf ans, répondit Maman Aure.
– Et demi, précisa son fils.
– Mais tonnerre ! s'écria le grand iguanodon,
par tous les volcans du Jurassique,
vous ne savez donc pas que les piquants des stégosaures
ne poussent qu'à partir de cinquante ans !

Steg et Aure se regardèrent : leur enfance était si loin,
ils avaient oublié… Et puis les stégosaures avaient
une très mauvaise mémoire,
c'est bien connu !

À ce moment, dans un formidable froissement d'ailes,
un dimorphodon vint se poser sur l'épaule de l'iguanodon,
et lui parla à l'oreille.

– Excusez-moi, reprit celui-ci, on m'appelle d'urgence.
Une nouvelle espèce vient d'arriver, les ankylosaures,
et ils sont tellement lourds et maladroits, qu'il faut aller
les repêcher chaque fois qu'ils vont boire
près d'un marécage ! Allez, ne vous faites plus
de soucis pour votre galopin, il est encore
un peu jeune, voilà tout.

La famille stégosaure se remit
lentement en route.
Papa Steg et Maman Aure
étaient tout à fait rassurés,
et le chemin du retour leur parut
plus court, plus agréable et
plus divertissant
que l'aller.

À leur arrivée,
Maman Aure examina son fils de la tête à la queue,
et vit de toutes petites pointes vertes
qui perçaient le long de son dos…
Hourra ! Goz avait grandi et ses piquants
allaient enfin apparaître !
Ce soir-là, on fit la fête, on invita tous les voisins
pour le cinquantième anniversaire de Goz.

Et la nuit, devinez ce qui arriva ?
Un petit mégazostrodon passa et déposa
sur l'oreiller de Goz endormi un joli cadeau :
une délicieuse sucette au cactus !
C'était la coutume chez les stégosaures, c'était ainsi
que l'on fêtait l'apparition du premier piquant…

... au temps de la préhistoire,
il y a bien longtemps,
il y a 150 millions d'années.

Histoire du Bébé Lion
qui n'avait plus faim

— **B**ébé Lion !
Veux-tu rester ici
et manger encore !

— Non ! dit Bébé Lion,
je n'ai plus faim !

— Bébé Lion ! Une bouchée pour Papa !
Une seule bouchée !

— Non ! dit Bébé Lion,
je n'ai plus faim du tout, du tout, du tout !

– Bébé Lion !
Un petit morceau pour maman,
un seul tout petit morceau,
tout petit, tout petit, tout petit...

– Non ! dit Bébé Lion, je n'ai plus faim.

– Tu ne veux pas devenir grand
comme papa, Bébé Lion ?

– Si ! dit Bébé Lion, je veux devenir
grand comme papa, mais pas aujourd'hui !

Aujourd'hui,
je n'ai plus faim.

La plus mignonne des petites souris

Voici la maison de la famille Rongetout.
Voici la fille de monsieur et de madame Rongetout :
la plus mignonne des petites souris.
Elle sait danser. Elle sait tricoter.
Elle sait faire des gâteaux. Elle sait jouer du piano.

– Il est temps de la marier, dit madame Rongetout.
– Il est temps de la marier, dit monsieur Rongetout.
Mais elle n'épousera que le plus puissant personnage
du monde, car c'est la plus mignonne des petites souris.
Et personne d'autre
n'est digne d'elle.

Monsieur Rongetout décide
de marier sa fille avec le Soleil.
– C'est le plus puissant personnage
du monde. C'est lui qui chauffe
la terre et mûrit les grains de blé.
Et les grains de blé sont si bons !

Monsieur Rongetout fait ses préparatifs de départ.
Il veut aller voir le Soleil pour lui demander
d'épouser sa fille, la plus mignonne
des petites souris.

Voyez
la belle redingote.

Il s'installe d'abord
dans un train.
Mais les trains ne peuvent pas aller
jusqu'au Soleil, n'est-ce pas ?

Alors il choisit un hélicoptère.
– Voilà tout à fait
ce qu'il me faut, pense
monsieur Rongetout.

Et monsieur Rongetout
monte, monte, monte…

… et il arrive au palais du Soleil.

Le Soleil vient de se lever ;
il reçoit monsieur Rongetout en robe de chambre.

– Voulez-vous épouser ma fille ?
demande monsieur Rongetout. C'est la plus mignonne
des petites souris, vous seul êtes digne d'elle
puisque vous êtes le plus puissant personnage du monde.

> – Tu te trompes, dit le Soleil.
> Ce nuage qui passe là
> est plus puissant que moi,
> puisque je ne peux pas
> l'empêcher
> de me cacher la Terre.

> – Alors vous n'êtes pas
> celui qu'il faut à ma fille,
> dit monsieur Rongetout.

Et il descend, descend, descend.
– Voulez-vous épouser ma fille ? demande
monsieur Rongetout au nuage. C'est la plus mignonne
des petites souris : vous seul
êtes digne d'elle puisque
vous êtes plus puissant
que le Soleil
qui est le plus puissant
personnage du monde.
C'est lui-même
qui vient de me
le dire.

       – Hélas ! le Soleil s'est trompé,
     répond le nuage. Le vent qui souffle
       est plus puissant que moi, puisque
   je ne peux pas l'empêcher de m'emmener où il veut.

– Alors vous n'êtes pas celui qu'il faut à ma fille,
dit monsieur Rongetout. Je vais aller voir ce vent...

Et voici, sur une colline,
le moulin du vent.
Quand ce moulin-là tourne ses ailes,
quel courant d'air !...

– Voulez-vous épouser ma fille ?
demande monsieur Rongetout.
C'est la plus mignonne des petites souris,
vous seul êtes digne d'elle puisque vous êtes
plus puissant que le nuage qui est plus puissant
que le Soleil qui est le plus puissant personnage du monde.
C'est le nuage lui-même qui vient de me le dire.
– Hélas ! le nuage s'est trompé, répond le vent.
Cette vieille tour que tu vois là-bas est plus puissante
que moi, puisque, depuis des années,
je souffle dessus sans avoir pu l'abattre.

– Alors vous n'êtes pas
celui qu'il faut à ma fille,
dit monsieur Rongetout.
Je vais aller voir
cette tour...

Monsieur Rongetout est bien fatigué.
Il va tout de même trouver la vieille tour.

– Voulez-vous épouser ma fille ?
demande monsieur Rongetout. C'est la plus mignonne
des petites souris, vous seule êtes digne d'elle
puisque vous êtes plus puissante que le vent,
qui est plus puissant que le nuage, qui est
plus puissant que le Soleil, qui est
le plus puissant personnage du monde.
C'est le vent lui-même
qui vient de me le dire.

– Hélas ! le vent s'est trompé,
répond la tour.
Le souriceau qui ronge
ma plus grosse poutre
est plus puissant que moi puisque,
quand il aura fini de ronger,
je m'effondrerai sûrement.

Alors monsieur Rongetout va trouver le souriceau.

– Voulez-vous épouser ma fille ?
demande monsieur Rongetout.
C'est la plus mignonne des petites souris.
                    – Je connais depuis longtemps votre fille,
                        répond le souriceau, c'est bien
                    la plus mignonne des petites souris,
                        et je serai très heureux de l'épouser.

Ainsi la plus mignonne des petites souris épousa
le souriceau, et ils sont bien contents tous les deux.

Et toutes les souris de la noce s'amusent beaucoup
en se racontant les aventures
de monsieur Rongetout.

Et monsieur Rongetout
est très satisfait puisque
sa fille épouse...

celui qui est plus puissant que la tour,
qui est plus puissante que le vent,
qui est plus puissant que le nuage,
qui est plus puissant que le Soleil.

La boîte à soleil

Regardez donc Lise. Elle essaie
d'attraper du soleil
dans une boîte.

Ça y est,
la boîte est pleine.
Lise la ferme
bien vite.

Ce sera amusant,
la nuit,
de lâcher le soleil
dans la chambre,
pour faire
des petites lumières
au plafond
et sur les murs...

– Lise, que fais-tu ?
lui demande François, son grand frère.
– Je ne peux pas te le dire... c'est ton cadeau d'anniversaire.

      – Je saurai bien deviner ce que tu as pris dans cette boîte.
      C'est un trèfle à quatre feuilles ?
      – Non !

      – Une bête à bon Dieu ?
      – Non !

– Un papillon ?
– Non !

– Des graines de pensée...
ou de coquelicot ?
– Non ! non ! et non !
– Une fraise ? Une groseille ?
Une mûre ?
– Non ! non ! et encore non !

– Un scarabée doré ?
– Pas du tout !

– Une grosse chenille,
que je pourrai mettre dans un bocal
pour voir comment elle devient papillon ?
– Non ! ce n'est pas cela.

– C'est vivant ?
– Je ne sais pas.

– Ça se mange ?
– Oh ! non.

– C'est pour quoi faire ?
– Pour faire tout ce que tu voudras.
Si tu en mets sur du linge mouillé, ça le fera sécher.
Si tu en mets sur les fleurs, ça les fera ouvrir.
Si tu en mets sur les bras et les jambes,
ils deviendront bruns. Si tu en mets sur les cerises vertes,
elles deviendront rouges, et si tu en mets
sur une goutte de rosée,
tu verras
toutes les couleurs
qui existent.

– Eh bien ! c'est
un drôle de produit.
Je ne cherche plus.
C'est trop difficile...
donne-le-moi,
ton cadeau.

– Je te le donnerai ce soir,
quand la lumière sera éteinte.

Lise serre la boîte bien fort
dans sa petite main.

Elle ne veut pas la lâcher...
même pour donner à manger à son chat,

même pour arroser son jardin,

même pour jouer dans le sable
avec son râteau.

Il faut que François la débarbouille,
lui lave les genoux,
boutonne
sa chemise de nuit,
lui donne à boire
et à manger.

François la couche et la borde.
Lise éteint la lumière.

Et voilà qu'elle se met à crier :
– François ! Viens vite ! J'ai peur ! C'est vivant !
Ça remue... pourtant,
c'est du soleil que j'ai pris dans ma boîte.
– Ce n'est pas possible ! dit François.

– Mais si, regarde : on voit la lumière par la fente.
– Oh ! oui, c'est drôle.
Alors François ouvre la boîte :
– Mais c'est un ver luisant !

– C'est une bête ?
– Oui, elle a comme une petite lampe sous le ventre.
Elle a dû tomber dans ta boîte ouverte
quand tu étais dans le jardin.
Tu sais, Lise, je suis content de ton cadeau.
On va mettre le ver luisant sur les grandes herbes
qui poussent devant la fenêtre.
Il va pondre des œufs partout.
Et quand ses petits auront des petits...
... chaque nuit notre jardin sera illuminé
comme le ciel plein d'étoiles.

La vache orange

Un jour, la Vache Orange de monsieur Leblanc
sauta par-dessus la barrière.
La voilà partie sur la route.

Un renard gris, qui passait par là, lui dit :
– Comment ça va-t-il aujourd'hui ?

La Vache s'assit et répondit :
– Meu... meu... je suis bien malade...

Alors, le bon Renard prit la Vache sur son dos,
l'emporta chez lui... et la mit au lit.

Quand elle fut au lit, le Renard lui demanda :
– Est-ce que tu as de la fièvre ?
– Je ne sais pas, répondit la Vache.
As-tu un thermomètre ?

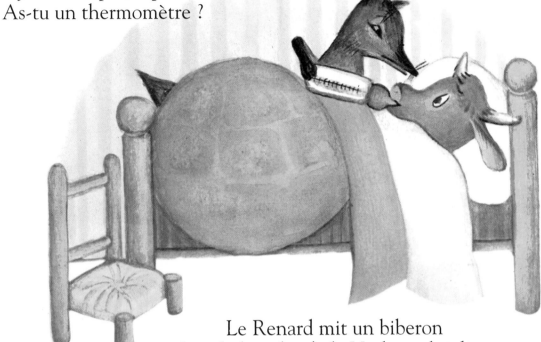

Le Renard mit un biberon
dans la bouche de la Vache et lui dit :
– Ne mords pas, surtout !

Mais cela ne servit à rien, parce que c'est très, très difficile
de prendre la température d'une vache... avec un biberon.
Le Renard tâta le nez de la Vache...
Quand un chien a le nez très chaud,
c'est qu'il est malade.
Le Renard eut vraiment peur...
La Vache avait le nez
rouge et brûlant...
« Non, non, pensa-t-il,
les vaches ne doivent pas
avoir le nez si chaud que ça. »

Le Renard dit :
– Montre-moi ta langue.

La Vache tira la langue… Elle était longue et très verte.
– Oh ! là ! là ! s'écria le Renard, tu as mangé
beaucoup trop d'herbe ! Il faut changer un peu.

Il courut à l'armoire à pharmacie…
mais il n'y trouva rien… rien que des savonnettes
et de la pâte dentifrice et… une bouillotte
qu'il remplit d'eau chaude.

Le bon Renard essaya de réchauffer
les pieds de la Vache avec la bouillotte.
Mais c'est très, très difficile, les vaches ont tant de pieds !
La Vache remercia le Renard et lui demanda :
– Est-ce que tu n'as pas faim ?
– Non, répondit le Renard.

Et la Vache, après un instant, dit :
– Mais moi, j'ai faim...

La Vache n'était pas sage du tout ! Dès que le Renard
fut parti, elle se leva et mangea sa paillasse !
Alors, ça, ça mit le Renard en colère, et il lui dit :
– Si tu ne te conduis pas mieux, tu n'auras rien pour dîner !
Et la pauvre Vache se mit à pleurer.
– Meu... eu... Meu... eu...

Pourtant, il y avait
pour le dîner
de la saucisse et des mûres,
et aussi un peu de champagne.
La Vache n'en avait jamais bu
et voilà que ça lui pique le nez,
et qu'elle éternue, et qu'elle éternue !...

– Dors bien, maintenant, dit le Renard.

Et il embrassa la Vache
sur les deux joues.
– Bonne nuit,
répondit la Vache
de sa belle voix grave.

Et elle s'endormit.

Au milieu de la nuit,
la Vache fit
un terrible cauchemar...

Elle rêva qu'elle était assise
sur les rails du chemin de fer...
Un train arrivait... un autorail...
il passait le tournant... elle le voyait...
– Meu... eu... eu... au secours ! meugla la Vache.

Le Renard se précipita dans la chambre.
– Qu'est-ce qu'il y a ?
– Meu... eu... eu... criait la Vache,
il y a un autorail juste au tournant !

Et les voilà qui se cachent tous les deux sous le lit !

Ce ne fut pas sans peine que
le Renard décida la Vache à se recoucher.
Il fallut allumer une bougie et la placer
près de son lit pour qu'elle n'ait plus peur !

Le lendemain, quand la Vache s'éveilla,
elle ne se rappela pas où elle était.
Le Renard, qui entrait dans la chambre,
lui demanda comment elle allait.
– Mieux, merci, répondit-elle.
– Bon, dit le Renard.

Et il lui laissa de l'eau chaude
et du savon pour se laver la figure.

Ensuite, le Renard apporta
un bon déjeuner pour la Vache :
du jus d'orange, du pain beurré, et
une grande tasse de chocolat bien chaud.

Quand la Vache eut fini de déjeuner, le Renard lui dit :
– N'oublie pas de te laver les dents.
Et il emporta le plateau.

Aussitôt levée,
elle se lava les dents,
se brossa les poils,
se lissa les cornes,
et descendit retrouver
le Renard qui était
dans la cuisine.

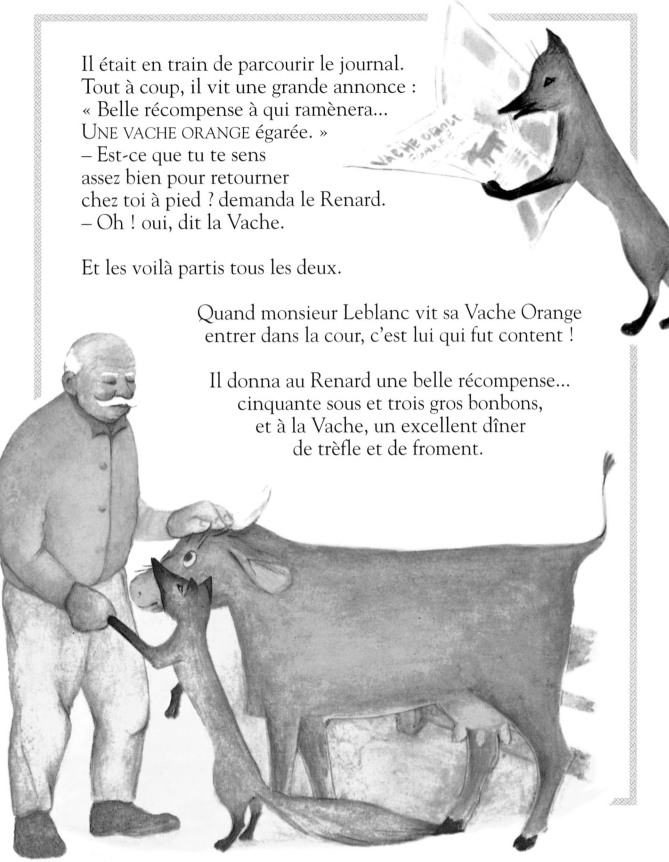

Il était en train de parcourir le journal.
Tout à coup, il vit une grande annonce :
« Belle récompense à qui ramènera...
UNE VACHE ORANGE égarée. »
– Est-ce que tu te sens
assez bien pour retourner
chez toi à pied ? demanda le Renard.
– Oh ! oui, dit la Vache.

Et les voilà partis tous les deux.

Quand monsieur Leblanc vit sa Vache Orange
entrer dans la cour, c'est lui qui fut content !

Il donna au Renard une belle récompense...
cinquante sous et trois gros bonbons,
et à la Vache, un excellent dîner
de trèfle et de froment.

Un tigre dans la théière

Voilà ce qui est arrivé
hier à Londres, en Angleterre,
chez les Smith.

C'était l'heure du thé.
Comme chaque après-midi,
Mrs.* Smith se préparait à faire le thé.
Il y avait aussi, pour ce jour-là,
un cake, un pudding à la crème,
des biscuits et un gâteau au chocolat.

Mrs. Smith mit sur le feu
la bouilloire pleine d'eau
et descendit la théière de l'étagère.

C'était une très grande théière,
parce que Mrs. Smith est
une mère de famille nombreuse.

Mrs. Smith posa la théière
sur la table.
Elle souleva le couvercle
et s'aperçut
qu'elle ne pouvait pas
faire le thé.

* Prononcez Missise (madame en anglais).

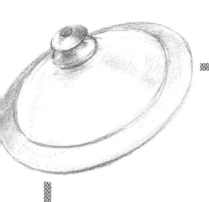

Il y avait un tigre
dans la théière.

– Tigre, dit Mrs. Smith,
je suis en retard, sors d'ici.
Je dois faire le thé.

Mais le tigre refusa de sortir.

– Suzy, dit Mrs. Smith à la grande sœur
qui était en train de lécher la casserole de chocolat,
viens m'aider à faire sortir ce tigre de la théière.

– Tu n'as pas à être ici,
dit Suzy au tigre d'un ton ferme.
Tu le sais aussi bien que moi.
C'est l'heure du thé,
et nous avons besoin de la théière.
Allez, hop ! Dehors !

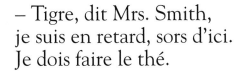

Mais le tigre ne voulut pas bouger.

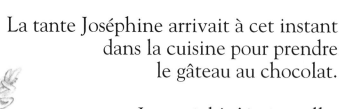

La tante Joséphine arrivait à cet instant
dans la cuisine pour prendre
le gâteau au chocolat.

– Juste ciel ! s'écria-t-elle.
Qu'est-ce que cela veut dire ?
Quand j'étais petite, dit-elle au tigre,
les tigres étaient bien mieux élevés.
Chaque fois qu'on leur demandait
de sortir d'une théière,
ils obéissaient immédiatement sans discuter.

Mais le tigre fit la sourde oreille.
Ce qu'avait dit la tante Joséphine lui était bien égal.

– Ah ! Voilà les jumeaux ! dit Mrs. Smith.
Ils vont nous débarrasser de ce tigre.

– Sors d'ici en vitesse, sacré tigre,
dit le jumeau numéro un,
ou je te flanque un coup
de raquette sur la tête !
– Et quand il aura fini,
dit le jumeau numéro deux,
je t'en flanquerai un autre !

Les jumeaux disaient cela
pour avoir l'air brave.
En réalité, jamais ils n'auraient osé
donner un coup de quoi que ce fût
sur la tête de qui que ce fût.
Mais le tigre ne le savait pas !

Eh bien, malgré tout,
les jumeaux ne réussirent pas
à faire sortir le tigre de la théière.

Maintenant cela
devenait vraiment grave,
car l'heure du thé
était passée.

Les triplés arrivèrent.
Papa les envoyait demander
pourquoi le thé était en retard.

– Oh ! nous allons le sortir, ce tigre, dirent les triplés.
Nous en avons pour une minute.
— Écoute, dirent-ils au tigre, on voit bien
que tu n'as jamais vu Papa en colère
lorsque son thé est en retard.
Si tu ne sors pas d'ici
immédiatement,
ça va aller mal pour toi,
tu peux en être sûr !

Mais l'idée de mettre
Papa en colère
ne fit ni chaud
ni froid au tigre.
Ce qui comptait pour lui,
c'était de rester
dans la théière.

La porte s'ouvrit et Jane, la sœur cadette,
entra dans la cuisine.
Papa en avait assez d'attendre.
Il l'avait envoyée pour savoir
pourquoi les triplés n'étaient pas revenus
et pourquoi le thé était en retard.

– J'ai une idée, dit Jane,
la sœur cadette.
Regarde, dit-elle au tigre
en lui montrant le réveil.
Sors juste cinq minutes,
le temps pour nous
de faire le thé. Dès
que nous l'aurons bu,
tu pourras retourner
dans la théière,
si tu veux.

Mais le tigre,
même pour cinq minutes,
ne voulut pas sortir
de la théière.

Maintenant le thé
était très en retard,
de plus en plus en retard.

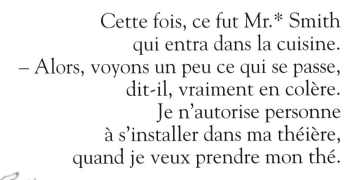

Cette fois, ce fut Mr.* Smith
qui entra dans la cuisine.
– Alors, voyons un peu ce qui se passe,
dit-il, vraiment en colère.
Je n'autorise personne
à s'installer dans ma théière,
quand je veux prendre mon thé.

Prononcez Mister (monsieur en anglais).

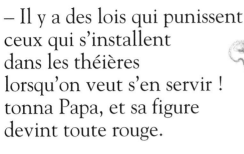

– Il y a des lois qui punissent
ceux qui s'installent
dans les théières
lorsqu'on veut s'en servir !
tonna Papa, et sa figure
devint toute rouge.

Le tigre resta
tranquillement
assis sur la théière.

– Je vais appeler un agent
et il te fera sortir d'ici !
Et si ça ne suffit pas, cria Papa, je vais appeler les pompiers !
Ils arriveront à toute allure, en faisant hurler leurs sirènes.
Et tous les pompiers sauteront de leur voiture
et traîneront jusqu'ici leurs lances à incendie.
Alors, je crois que là, vraiment, il faudra
que tu sortes de notre théière,
et en vitesse !

Le tigre regarda
calmement
Papa dans les yeux
et ne bougea pas
d'un pouce.

    Mr. Smith était
        hors de lui.

Juste à ce moment-là, Josy la petite dernière
revint d'un goûter d'enfants.
Elle était vraiment très mignonne
avec sa jolie robe à fleurs.

Il n'y avait personne dans le salon,
personne dans la salle à manger.

Mais lorsqu'elle arriva dans la cuisine,
elle y trouva toute la famille réunie.
– Oh ! comme c'est agréable de vous voir tous là !
dit Josy la petite dernière.
Et quel amour de tigre avons-nous dans notre théière !

Josy la petite dernière
grimpa jusqu'au tigre et
lui gratta le dessus du crâne.
– Tigre, lui demanda-t-elle,
es-tu confortablement
installé comme ça ?
Es-tu sûr de ne pas avoir
de crampe à la queue ?
Elle est si longue
et si jolie !

– Tu peux, bien sûr, rester ici
tant que tu voudras.
Mais, ne préfères-tu pas
venir prendre une tasse
de thé avec nous ?
Nous serions enchantés
que tu acceptes.

– Ma foi, oui,
je veux bien,
merci beaucoup,
répondit poliment le tigre.
Et je prendrai volontiers aussi
un petit morceau de gâteau au chocolat.

Piailleuse et pilleuse, chacun connaît la pie.
Toujours bien habillée, toujours en queue-de-pie,
Elle épie, vient, vous vole, s'envole et déguerpit.
Il advint donc un jour qu'une de ces chipies
Pour pimenter sa vie ou, qui sait, par dépit
Décida de voler à la nature en fleurs,
Ses couleurs…

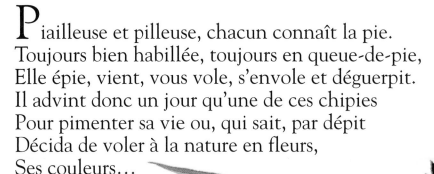

Elle prit sans hésiter
le vert de son tapis
Et tout le bleu du ciel
sans pitié ni répit,
Cacha tous ses trésors
dans son nid de harpie.
La violette fut nue,
et nu le génépi.
Le papillon semblait
malade et décrépit.

C'est alors seulement
qu'elle comprit son erreur.
Quel malheur !

Pour le plaisir
de changer de robe, l'impie
Avait mis la beauté du monde en charpie.
Dans son nid multicolore elle se tapit.
« Petit oiseau du paradis, je suis flapie…
Je garderai ma robe pie, tant pis !
Et tant pis si je dois expier mais viens m'aider
S'il te plaît ! »

Alors l'oiseau aux mille couleurs
descendit…
Au ciel, aux prés, aux fleurs,
la beauté rendit…
Et c'est ainsi que la pie
De pilleuse devint pieuse !

Le pépin de babelicot

— **M**es enfants ! dit maman.
Venez vite ! J'ai croqué un pépin de babelicot !

Le babelicot, c'est magique... et voilà maman
qui devient petite, petite, petite.

Cora et Caro sont très contents.
– On va faire manger maman
dans le petit ménage
de la poupée Carababa.

– Allons, petite maman,
sois sage ! Voilà deux gouttes
de ramedimage et une miette
de madalinette.
Attache bien ta serviette
et mange proprement !

Cora et Caro préparent le bain de maman
dans la soupière en porcelaine de garagaran.
Maman fait des éclaboussures
et ne veut pas
se laver
la figure.

Les enfants lui mettent
le pyjama de Carababa
puis ils la bercent
dans leurs bras.

... Dors, dors,
petite maman.
Dehors la lune brille
dans la nuit.
Les petits oiseaux
sont dans leur nid.
Dors, dors, maman jolie...

Mais maman dit :
– Non ! non ! non !

Elle fait des bonds sur son lit,
puis elle jette les draps,
l'oreiller et l'édredon.

– Allons,
disent les enfants,
il faut que tu grandisses,
finis les caprices !
Voici du ramadilacou,
bois-le, et tu grandiras
beaucoup.

Maman avale le ramadilacou
puis elle s'étire, s'étire, s'étire,
et la voilà grande
comme avant.

– Maintenant que tu es grande,
raconte-nous une histoire ! disent les enfants.

– Il était une fois une maman
qui avait mangé un pépin de babelicot...